马立平课程

中 文

一年级

编写 马立平

审定 庄 因

插图 吕 莎

书　名　马立平中文课本（一年级）

编　者　马立平

审　定　庄　因

出版人　夏建丰

插　图　吕　莎

网　址　www.lipingchinese.com

版　次　1994 年 3 月第 1 版

　　　　2018 年 3 月第 17 版　　2018 年 3 月第 1 次印刷

印　刷　上海丽佳制版印刷有限公司

书　号　ISBN 978-1-940666-01-3

9 781940 666013

目录

序言 v

编辑说明 vii

全套教材使用说明 ix

一年级教材使用说明 xi

第一单元

一、眼睛 2

二、耳朵 4

三、手 6

四、萝卜 10

五、花生 12

六、一去二三里 14

七、算一算 17

总复习 20

总生字表 22

第二单元

一、雨 24

二、镜子 28

三、袋鼠 32

四、画 36

五、小蝌蚪 40

六、小小的船 46

七、一头牛 50

总复习 54

总生字表 59

第三单元

一、小山羊 62

　　爱吃和不吃 66

　　袋鼠妈妈 66

　　天黑了 67

二、种鱼 68

　　玉米和花生 72

　　我家的小猫 72

　　种花 73

三、落叶 74

　　小鸟的家 78

　　蚂蚁上树 79

　　衣服 80

　　下雨了 81

　　爬、飞、游 82

　　做朋友 83

四、下雪的时候 84

雪娃娃 88

爸爸画画 89

蚂蚁过冬 90

秋和冬 91

五、乌鸦喝水 92

小鱼和星星 96

白云下面的草地 97

小燕子和小乌鸦 98

小乌鸦 99

六、小猴子下山 100

梅花和雪花 106

小蝌蚪不见了 107

山羊上山 108

摘桃 109

小鸭子哭了 110

扔石子 111

总复习 112

总生字表 119

暑假作业

比一比　两只袜子 122

彩虹桥　小虫 123

大南瓜　闪电和雷声 124

大皮鞋　比老师懂得多 125

房子　最差的学生 126

风婆婆　奶奶胆小 127

海豹　不相信老师 128

贺年卡　教老师 129

会叫的鞋子　牙痛 130

机器人　多一根骨头 131

扣钮扣　“大”字多一横 132

老鼠打电话　到太阳上去 133

两只羊　假牙 134

马虎的小企鹅　不会照料 135

梦　照片 136

青青草　买笔 137

请星星　爸爸 138

睡午觉　什么最大 139

天上玩玩　长不高 140

听见喜鹊叫　大黑狗 141

我和白云　山上山下 142

下雪了　不受处罚 143

小白兔　孩子吃奶 144

小草　一道难题 145

小花猫　苹果有虫 146

小黄狗　多些 147

小鹿　数字不骗人 148

小溪　牙刷 149

小星星　救人 150

小鸭子　鱼不能说话 151

只会呼呼睡大觉　早点认识 152

种树　让水流走 153

序言

马立平把她精心选编并加以改撰的中文教材送了来，要我替她稍事耙疏并写一序文，我很高兴地应允了。

说起来，写序文这样的事，不是可以胡口答应的。就算不若往昔写序文的人必然要较作者"年长"而且"德昭"，但一定要与作者有着某种程度上的相知关系，则显见必要。我比立平年长许多是实，也"有德"但不一定"昭"，可是曾为她的老师，似乎这也够资格为她写序了。

我认识立平是在八年前。那年我在史大的"中国近代散文"一课的班上，发现了一位并不属于亚洲语文系的学生，那就是正在教育学院攻读博士学位的马立平。立平是中国大陆六、七十年代遭"文革"扼伤的成千上万的青年中的一个，她被国家分发到江西省去插队落户，荒废了学业。文革以后，政府恢复了旧有教育制度，重新招录青年入学。但是有志深造的马立平，却因超龄而未能遂愿。我在前面说立平是受了文革"扼伤"，但她并未被文革"牺牲"。她自己努力精进，竟"跳班"考上了教育学研究生。毕业之后先是作了几年教育研究，再来美国攻读更高一级的博士学位。

马立平选择教育为其一生之志愿，是她觉得教育是一个国家民族之所以盛衰的基本。我更相信立平还有对于中华文化的一份挚爱，和要把中华文化与海外炎黄后裔共享共识的诚意。在这样的前瞻下，立平于五年前在旧金山海湾区正式成立了"斯坦福中文学校"。

海外中文学校的成败，依我来看，最主要的因素应属教材的内容。立平自己学的是课程设计，于是她在教材设计方面的投入与着力委实煞费苦心。她希望呈现的是中华文化本本笃笃的面貌丰采。于是，这也成就了她的这套教材"马立平中文教材"异于向素因循传统上政教合一的方式为主导的观念，而是以崭新的面貌出现。过多的政治考量，难免会顾此失彼，甚至欲速不达。故立平这样的心态其实是相当易于理解的。试想，在海外出生长大的中华儿女，他们在政治背景上是确定的"非中国人"。在美国，他们就是"美国人"了。既如此，为什么一定要以自身来自的"中国"地缘政治背景，来影响孩子们原本单纯的心呢？要学简体字、繁体字、或两种都学，这完全是应以孩子们的兴趣、看法为归依而作成的取决。

立平的这套教材，就是有这样的认知，而她只提供实际上的方便，让孩子们自己去作最后的取择。这情况就跟当初家长们自己负笈海外，究竟要去美国、英国、法国、日本或其他国家留学完全同理，因为那是他们自己的取决。

华侨子弟的家长们，请务必要切实了解这一意义，才能有效而顺心地督导其子弟们在异国文化的环境中成功地学习并接受纯正的中国文化。在海外传授中国文化，我们特别要注意的是内容的纯正与否的问题。马立平的中文教材，也就是站在这个立足点上而完成的。同时，她也深悉侨居异国他乡的实情，使得她十分潜心地关注并接纳西方文化。凡是上乘的西方文化观念，读者都不难在她的教材中寻获。

　　我自己大约可以算是在一个较短的过程中，仔仔细细读完了她的的这套教材的第一人。因此，我想我有资格也有条件说出我对它的真切感受。我是一个率直而又认真的人，爱中华文化、更仰慕中华文化。我同时也是一个有教育爱心、务实、极有自信、同时又极自负的老师。在政治背景上，我是足足实实的美国人；然则，在文化历史上，我又是一个十十足足、道道地地的中国人。我相信马立平跟我一样，她也正是如此。

　　因应立平索求我为她的教材撰写一篇序文的诚意，我高兴而也感慨的写下了我的一些感想。最后，我愿意向大家说：如果你们有幸地接受了并且习读了马立平博士的这套教材，一定会有在口干舌燥的长跑运动之后渴望一杯甘凛的酸梅汤或果汁，而果然一杯在手的难言快欣！你们有福了。

庄因

1999年2月14日，戊寅除夕前夕
于史大亚洲语文系第52W研究室
Stanford University East Asian Languages and Cultures Department

编辑说明

斯坦福大学教育学院课程设计博士 马立平

近年来，海外的中文学校发展迅速，其教材多来自国内。可是，由于海外生活环境和国内不同，海外学生的文化背景、学习方式以及学习条件也和国内不同，所以在国内编写的教材，往往不敷他们的实际需要。在此，我们把这套在美国研发、经二十多年来多轮教学实验磨砺后定稿的"海外本土化"中文教材献给大家。

这套中文教材适用对象为来自华语家庭的儿童。目前，教材包括 11 个年级（K 至 9 年级以及 AP）的课本，每个年级学习 3 个单元，配有相应的单双周练习本、暑假作业本和网络作业，可供周末中文学校使用十一年，也支持 After School 的中文教学。同时，K 至 5 年级课本配有学生用的生字卡片，K 至 9 年级课本配有可供选购的教师用词汇卡片。

多年来的实践经验证明，通过循序渐进地学习全套教材，学生们能够具备中文听、说、读、写的基本能力，能够在美国 College Beard 的中文 SAT II 和 AP 考试中取得优异的成绩，并且能够顺利地通过中国国家汉办举办的 HSK 四级以上的汉语水平考试。

中华民族创造了自己的文字，也创造了学习这一文字的行之有效的方法。我们这套教材将中国语文教学的传统和现代语文教学的研究成果紧密结合。现将编辑要点说明如下：

一、拼音和汉字的关系——直接认字，后学拼音

为了先入为主地发展学生识别汉字的能力，我们在开始阶段不用拼音或注音符号，而是通过韵文直接进行汉字教学。在学了 700 个常用汉字以后，再引入汉语拼音。

语音教学由课堂教学和网络作业共同分担，成功地避免了海外学生常见的依赖拼音的弊病。

二、认字和写字的关系——先认后写，多认少写

海外少年儿童学习中文的时间十分有限。我们采用先认后写、多认少写的原则。

本教材通过各种途径，帮助学生熟练认读 2000 个左右的常用汉字，熟练书写 500 个左右的最常用汉字。以此为基础，学生能够依靠中文顺利地学习我们高年级的文化读本《中华文化之窗》和《中华文化巡礼》；也能够用中文进行基本的书面交流。

三、精读和泛读的关系——课文和阅读材料并重

考虑到海外语言环境的特点，教材采用了课文和阅读材料相互交织的结构，每篇课文都配有阅读材料数篇，纳入正式教学。这些阅读材料以中国历史故事和寓言为主要题材，用学生已经学过的汉字撰写。仅在 1 至 4 年级，就有和课文相配合的阅读材料四百来篇。

四、阅读和写作的关系——先读后写，水到渠成

语汇是写作的基础。1 至 4 年级以认字教学为主，让学生掌握大量的汉字和语汇。五年级以大篇幅的阅读巩固认字量并且引导学写段落。6、7 年级完成系统的写作教学。完成写作教学之后，学生的写作能力已经超过 AP Chinese 所要求的水平。

五、素材选择和改写的依据——求知欲、成就感、常用字先行和高频率复现

本教材中课文和阅读材料的素材来源很广，包括了大陆和台湾本土使用的各种小学课本、两岸为海外儿童编写的各种华语教材、各种中文儿童课外读物、甚至口头流传的民间故事和谜语等等。选材的依据，一是根据海外华裔儿童的兴趣和求知欲，二是注重培养学生学习中文的成就感。素材经改写后自成一个完整的中文教学体系，常用字先行，并且高频率复现。前后呼应，环环相扣。

六、重视中华文化，摈弃政治色彩

教材以海外华裔儿童的成长发展为其唯一关怀。海外的炎黄子孙，无论来自大陆、台湾，还是其他国家和地区，文化上都是同宗同源；相信七十年的两岸分隔，绝无损于五千年中华文化的源远流长。

七、汉字结构的教学

汉字的笔画、笔形、笔顺和部首是掌握汉字结构的重要手段，然而在日常生活中，笔画和部首的名称却往往是约定俗成，没有绝对统一的标准。

在本教材中：

笔画名称参照了《现代汉语词典》和《汉语》教材中的汉字笔画表，以及汉典。

笔顺介绍参照了 Cheng & Tsui Company 的《Practical Chinese Reader I & II: Writing Workbook》。

部首名称及英文翻译，参照了 Harvard University Press 出版的《Mathews' Chinese English Dictionary》和安子介先生的《解开汉字之迷》。

另外，我们使用了"表意部首（Meaning clue）"和"表音部首（Sound clue）"的概念，仅仅是为了帮助学生认记汉字，无意在汉字学上标新立异。

八、繁体字章节用字的选定

教材繁体字章节的用字，参照了《国语日报字典》、修订版《华语》、《儿童华语课本》来选定，最后由斯坦福大学亚洲语言系庄因教授审定。

九、多媒体网络作业的使用

和课文配套的多媒体网络作业，可在计算机和 iPad 上使用。在课本的封面上，可以找到相应的注册码。每周有四次作业，每次作业设计量为 20 分钟左右。每次完成作业后，会出现该次作业的"密码"，由学生登记到作业本上，交给老师核实。

十、暑假作业

为了使学生的中文学习不致在漫长的暑假里中断，本教材为各年级设计了暑假作业（每年八周，每周四次），同时提供相应的网络作业。一年级暑假作业的部分文字材料在课本里。建议各校在秋季开学时，对学生暑假作业的完成情况进行检查。

这套教材是我和夏建丰先生合力编写，其间得到许多人的支持和帮助。特别是斯坦福大学亚洲语言系的庄因教授不辞辛劳，为教材审定文字并撰写序文。资深儿童画家陈毅先生、吕莎女士和邬美珍女士为教材配画了精美的插图。罗培嘉老师为作业设计了阅读检查办法。我们在此一并表示深切感谢。

马立平中文课程
全套教材 使用说明

马立平中文课程在美国经过了二十多年的中文教学研究和实践，形成了一套针对海外华裔学习中文行之有效的方法，帮助海外华裔青少年在学习中文和了解中国文化中，能够学有所成。

课程服务对象以及教学成果

马立平中文课程的服务对象主要是海外华裔青少年。其主体教学内容，可供海外周末中文学校使用；结合课后阅读以及教辅材料，也可供非周末的 After School 中文学校选用。

多年来的实践经验证明，通过循序渐进地学习马立平中文课程，学生们能够具备中文听、说、读、写的基本能力，能够在美国 College Beard 的中文 SAT II 和 AP 考试中取得优异的成绩，并且能够顺利地通过中国国家汉办举办的 HSK 四级以上的汉语水平考试。

全套课程的设计结构

马立平中文课程设计了十一个年级的教学内容，分为三个主要阶段展开：

1）认字和阅读（学前班到四年级）；

2）作文和阅读（五到七年级）；

3）中华文化和 AP 考试（八到十年级）。

每个年级分册分为三个单元，按照每个单元八次授新课、一次总复习和一次考试的教学量进行设计，对应着十周的教学时间。具体教学建议，请参见各个年级分册的使用说明。

全套教材的设计结构，以及各个阶段的特点，请参见图1。

图1中每个年级包括三个单元，占据三格。

实线示意预计的学习困难程度，坡度越"陡"，表示学生可能感到难度越大；坡度越"缓"，难度越小（如学前班和一年级第一、二单元难度最低，二年级难度最大）。实线下的文字，表示该阶段的主要学习内容。

虚线示意认字数量增长的速度（一至四年级快，之后明显减缓）。

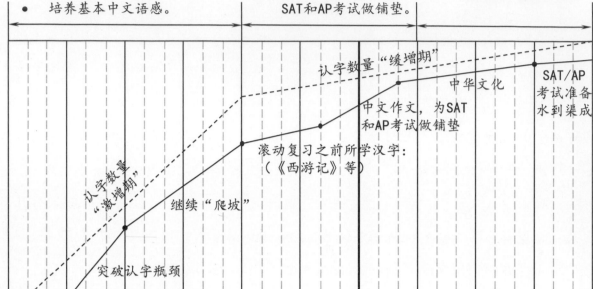

图1：马立平中文课程 全套教材设计结构

教学十六字诀

- **趣味引入：** 教授新课前，先要设法引起学生对课文的兴趣，调动起积极学习的情绪；
- **精讲多练：** 切忌"满堂灌"，老师要讲得恰到好处，尽量留出课堂时间给学生练习；
- **重点突出：** 认识字词和发展语感是一至四年级段的教学重点，教学中请务必注意；
- **难点分散：** 教学中要把难点分散，老师要作好相应铺垫和支持，带领学生克服难点。

需要家长关注的"三要三不要"

- **要**从小培养孩子独立认真做中文作业的好习惯，**不要**纵容心不在焉的作业习惯；
- **要**尽量多和孩子说中文，尽量创造中文环境，**不要**以为把孩子送了周末中文学校，他们的中文学习就万事大吉了；
- 遇到困难时，**要**鼓励孩子发扬"不放弃"精神，家长的态度**不要**"过硬"或"过软"。

一年级教材 使用说明

马立平中文课程的一年级教材是以课本为核心而相互配合的一个整体，其中包含：

1）课本：一本。

2）练习册：三本，分别为单周、双周和暑假练习册。

3）生字卡片：一套，包括黄色、蓝色、绿色三种字卡独立成册，白色字卡附在练习册中。

4）网络作业的注册帐号：一个，印在课本封面上。

一年级分册课本共分三个单元，每个单元通常包括四部分内容：

1）基础内容：课文、画和字、生字表以及词汇表。

2）课后阅读：读词、读词读句、小散文或者儿歌。

3）写字：学写笔画和课堂习字。

4）认识汉字：汉字结构、表意部首和表音部首。

在每个单元后面附有总复习表。

教学进度安排建议

通常，在周末中文学校中，每个单元可以用十次周末的教学时间完成：八次授新课，一次复习，一次考试。每个周末，教学时间可以为一个半小时到二小时。

After School 的中文学校，可以把基础内容和课后阅读相结合，每个单元分成八周授新课，一周复习和考试。每一周可以有四天授新课，一天复习；每天的教学时间可以为一小时。

课本内容和教学进度分配的对应关系，参见表1和表2。

表1：第一、二单元和教学进度分配的对应关系

	第一单元		第二单元	
	课文	课后阅读	课文	课后阅读
第1周	一、眼睛	读词	一、雨	读词读句
第2周	二、耳朵	读词	二、镜子	读词读句
第3周	三、手	读词读句	三、袋鼠	读词读句
第4周		读词读句	四、画	读词读句
第5周	四、萝卜	读词读句	五、小蝌蚪	读词读句
第6周	五、花生	读词读句		读词读句
第7周	六、一去二三里	读词读句	六、小小的船	读词读句
第8周	七、算一算	读词读句	七、一头牛	读词读句
第9周	总复习		总复习	
第10周	考试		考试	

表2：第三单元和教学进度分配的对应关系

第三单元	课文	课后阅读			
第1周	一、小山羊	爱吃和不吃	袋鼠妈妈	天黑了	
第2周	二、种鱼	玉米和花生	我家的小猫	种花	
第3周	三、落叶	小鸟的家	蚂蚁上树	衣服	
第4周		下雨了	爬、飞、游	做朋友	
第5周	四、下雪的时候	雪娃娃	爸爸画画	蚂蚁过冬	秋和冬
第6周	五、乌鸦喝水	小鱼和星星	白云下面的草地	小燕子和小乌鸦	小乌鸦
第7周	六、小猴子下山	梅花和雪花	小蝌蚪不见了	山羊上山	
第8周		摘桃	小鸭子哭了	扔石子	
第9周					
第10周					

难度以及关键点分析

　　一年级，是第一阶段"认字和阅读"的第一年，是培养学习态度和习惯的重要一年。课本三个单元的教学难度不相同。

　　1）第一和第二单元是学生中文学习的"蜜月期"。他们会感到儿歌很上口，学起来很容易。教师和家长要注意利用这段"蜜月期"，培养学生良好的学习态度与学习习惯，建立起扎扎实实地学习标准。

　　2）从第三单元开始，学习的进程开始"爬坡"，难度逐步提高了。课文从儿歌过渡到了短小的散文，课后阅读也从"读词读句"过渡到了段落和儿歌。但是，如果第一、第二单元学得扎实，第三单元也不会感觉困难。

　　除了课文学习之外，下面内容也是学习的关键点：

　　1）阅读材料

　　请教师和家长充分重视课后阅读材料。无论是第一和第二单元的读词/读词读句，还是第三单元成段的小散文，都是用学生在材料出现点之前学过的汉字撰写的，它们是复习、巩固、扩展和检验学习成果的重要手段。

　　能自如地朗读阅读材料，是学习过关的主要标志。

　　2）网络作业

　　请家长协助学生建立网络作业账号。认真完成网络作业，是有效学习的重要手段。

　　3）暑假作业以及练习册

　　课文后面的暑假作业以及配有的暑假作业练习册，也需认真对待，以便迎接二年级教学，进入"突破认字瓶颈"的过程。

写字的规范性

1）字形好看。2）大小一样。3）横平竖直。4）清洁干净。

马立平课程

中 文

一年级

第一单元

编写 马立平

审定 庄　因

插图 吕　莎

一、眼睛

上边毛，下边毛，
中间一颗黑葡萄。

口 (嘴)　　　鼻子　　目 (眼睛)

眼 睛 上 下 边 毛 中 间 一
颗 黑 葡 萄 口 嘴 鼻 子 目

上边　下边　中间　口　嘴　鼻子

眼睛　目　一颗　黑　葡萄　毛

（横）：一 上

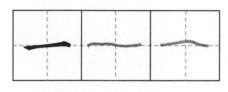

（竖）：下 中

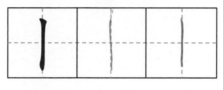

（点）：下 黑

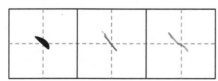

（横折）：口 目

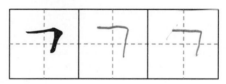

丨	卜	上

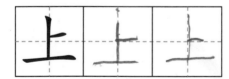

一	丁	下

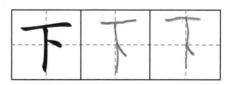

丨	冂	口

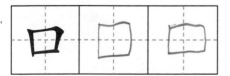

丨	冂	月	目

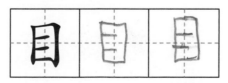

二、耳朵

左一片，右一片，
中间一座山，
两边看不见。

前　　　　后

_____

耳 朵 左 右 片 座 山 两 看
不 见 前 后

1. 上边　下边　左边　右边

2. 前边　后边　一边　两边　中间

3. 山上　山下　山前　山后　上山　下山

4. 眼睛　耳朵　鼻子　一座山　两座山

5. 看见　　　　　　　看不见

6. 看见鼻子　　　　　看不见耳朵

7. 看见一颗葡萄　　　看见两颗葡萄

（竖折）：山

（撇）：左　右　看

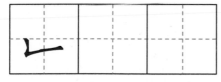

三、手

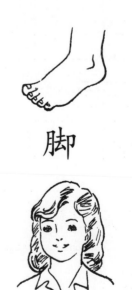

十个小朋友，
你有，我有，大家都有。
十个小朋友，
五个在左，五个在右。
十个小朋友，
只会做事，不会开口。

头   脚

男   女

手 十 个 小 朋 友 你 我 大 家 都 有

脚 头 五 在 只 会 做 事 开 男 女

读词读句
第三周

1. 一个小朋友，两个小朋友，十个小朋友。

2. 一个大朋友，两个大朋友，十个大朋友。

3. 你有手，我有手，大家都有手。

4. 你有脚，我有脚，大家都有脚。

5. 你有鼻子，我有鼻子，大家都有鼻子。

6. 你有耳朵，我有耳朵，大家都有耳朵。

7. 你有眼睛，我有眼睛，大家都有眼睛。

8. 我看见你，你看见我。

9. 我看见一座山，你看见两座山。

读词读句
第四周

1. 我在家，你在家，大家都在家。

2. 小朋友在左边，大朋友在右边。

3. 小朋友在前边，大朋友在后边。

4. 我在你前边，你在我后边。

5. 头在上边，脚在下边。

6. 左耳朵在左边，右耳朵在右边。

7. 左眼睛在左边，右眼睛在右边。

8. 鼻子在上边，嘴在下边。

9. 有五个小朋友会做事，只有一个小朋友不会做事。

10. 大家都在前边，只有我在后边。

（平撇）：手

一	一	一

（弯钩）：手

亅	亅	亅

（竖钩）：小

亅	亅	亅

（捺）：大

乀	乀	乀

丿	亻	个

个	个	个

亅	小	小

小	小	小

一	大	大

大	大	大

一	二	三	手

手	手	手

（撇点）：女

く	く	く

一	丁	五	五

五	五	五

一	丁	不	不

不	不	不

口	只	只

只	只	只

く	女	女

女	女	女

四、萝卜

红公鸡，绿尾巴，
一头钻到地底下。

黄　　　　　蓝

萝　卜　红　绿　公　鸡　尾
巴　钻　到　地　底　黄　蓝

1. 红公鸡，绿尾巴，绿公鸡，红尾巴。

2. 小朋友会做事，大公鸡会开口。

3. 我有两颗红葡萄，你有两颗绿葡萄。

4. 我到你家，你到我家。

5. 大萝卜钻到地底下，小萝卜钻到地底下。
   大萝卜小萝卜都钻到地底下。

6. 左耳朵　右耳朵　左眼睛　右眼睛

7. 红公鸡在前边，绿公鸡在后边，黑公鸡
   在中间。

（竖弯钩）：巴　见　　　（撇折）：公　红　绿

丨卜

丿八公公

㇆㇆口巴

丶㇀头头

五、花生

麻屋子，红帐子，

里面睡个白胖子。

坐　　　　立　　　　走

花　生　麻　屋　帐　里

面　睡　白　胖　坐　立　走

1. 红屋子在前面，绿屋子在后面。

2. 黑屋子在左面，白屋子在右面。

3. 你睡在屋子里面，我睡在屋子里面，大家都睡在屋子里面。

4. 我家屋子左面有花，你家屋子右面有花。

5. 一个小朋友坐在地上，手里有花。

   一个大朋友立在地上，脚边有花。

6. 我看见地里有花生，我看见地里有萝卜。

7. 红花开，白花开，红花开在上边，白花开在下边。

（横钩）：子

了了子 子

丿匕牛生 生

丿亻白白 白

丶一六立立 立

六、一去二三里

一去二三里，

路边四五家，

门前六七树，

八九十朵花。

多

少

二　三　四　六　七　八
九　去　路　门　树　多　少

---

1. 一二三，三二一，
一二三四五六七。

2. 你有八个小朋友，我有九个小朋友，
小朋友多不多？

3. 门前有树，树上开花。
门前树不多，树上花不少。

4. 我在大树底下做事，我看见树上有红花。

5. 大公鸡睡在树下，大萝卜睡在地下，
小红花睡在路边，小朋友睡在屋里。

6. 一，三，五，七，九；
二，四，六，八，十。

第六课

课堂习字
第七周

（竖弯）：四

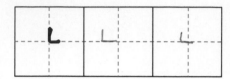

（横折钩）：门

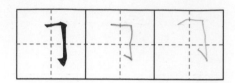

（横折弯钩）：九

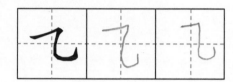

丨冂四四

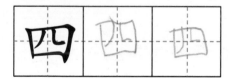

一十土去去

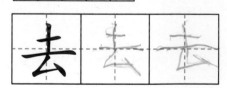

丿九

丶冂门

七、算一算

屋前三棵树，

屋后四棵树，

一共几棵树？

树上九只鸟，

飞走五只鸟，

还剩几只鸟？

3 + 4   9 - 5

加   减   比

生字
第八周

算　棵　共　鸟　飞

还　剩　几　加　减　比

读词读句
第八周

1. 我有八朵花，你有五朵花，我比你多几朵花？你比我少几朵花？

2. 六个小朋友加六个小朋友，一共有多少个小朋友？

3. 十颗葡萄加三颗葡萄，一共多少颗葡萄？十颗葡萄减三颗葡萄，还剩几颗葡萄？

4. 五个萝卜加六个萝卜，一共多少个萝卜？

5. 十一个萝卜减五个萝卜，还剩几个萝卜？

6. 花生比葡萄多，葡萄比花生少。

7. 你比我大，我比你小。

8. 萝卜比花生大，花生比萝卜小。

课堂习字

（竖提）：比

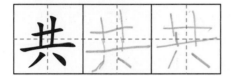

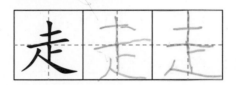

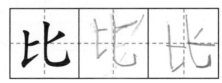

总复习

一、说一说以下笔画的名称，在括号里写出
　　一个例字：

1、一（　　）　　　2、丨（　　）　　　3、丿（　　）

4、乀（　　）　　　5、丶（　　）　　　6、乛（　　）

7、𠃋（　　）　　　8、亅（　　）　　　9、㇏（　　）

10、乛（　　）　　11、丿（　　）　　12、亅（　　）

13、凵（　　）　　14、乙（　　）　　15、刁（　　）

16、㇏（　　）

二、读一读这学期学的字词：

身　体
（Body）

眼睛(目)　　耳朵　　鼻子　　嘴(嘴巴、口)

手　头　脚　毛　尾巴

事　物
（Things）

葡萄　花生　萝卜　树　花　山　地　家
路　屋子　门　帐子

我 你 大家 朋友 男 女 胖子	人 （People）
公鸡 鸟	动物 （Animals）
上 下 左 右 中 前 后 上边 下边 上面 下面 里面 中间 底下	方向 （Directions）
看 看见 看不见 有 会 做事 开口 钻 睡 坐 立 走 算 去 加 减 比 到 飞	动词 （Verbs）
大 小 多 少	形容词 （Adjectives）
黑 白 红 绿 黄 蓝	颜色 （Colors）
颗 棵 片 个 朵 只 里 座	量词 （Measure words）
一 二 三 四 五 六 七 八 九 十 两	数字 （Numbers）
在 不 都 只 一共 还剩	其他 （Others）

总生字表

一、《眼睛》(18)

眼 睛 上 下 边 毛 中 间 一
颗 黑 葡 萄 口 嘴 鼻 子 目

二、《耳朵》(13)

耳 朵 左 右 片 座 山 两 看 不 见 前 后

三、《手》(23)

手 十 个 小 朋 友 你 我 大 家 都 有
五 在 只 会 做 事 开 头 脚 男 女

四、《萝卜》(14)

萝 卜 红 绿 公 鸡 尾 巴 钻 到 地 底 黄 蓝

五、《花生》(13)

花 生 麻 屋 帐 里 面 睡 白 胖 坐 立 走

六、《一去二三里》(13)

二 三 四 六 七 八 九 去 路 门 树 多 少

七、《算一算》(11)

算 棵 共 鸟 飞 还 剩 几 加 减 比

(共105字)

马立平课程

中 文

一 年 级

第二单元

编写 马立平

审定 庄　因

插图 吕　莎

一、雨

千条线，万条线，

掉进水里都不见。

风

云

雨

雪

雨 千 万 条 线 掉 进 水 风 云 雪

1. 我看见花生掉进水里，你看见葡萄掉进水里。

2. 我看见花生掉在地上，你看见葡萄掉在地上。

3. 左边一座山，右边一座山，千座山，万座山。

4. 我家在山上，你家在山下。

5. 萝卜大，花生小；耳朵大，眼睛小。

6. 我有四条红线，五条绿线，六条白线，七条黑线，八条黄线，九条蓝线。

7. 蓝线比黄线多，黄线比黑线多，黑线比白线多，白线比绿线多，绿线比红线多。

8. 大风，大雨，大雪。下大雨，下大雪。

汉字结构
第一周

独体字：

□ 雨 千 水

合体字：

▭（上下结构）： 条 雪

▯▯（左右结构）： 线 掉 都

凵（半包围结构）： 进 边 还

表意部首[*]
（Meaning Clue）
第一周

纟：绞丝旁 [silk]   线 红 绿

雪：雨字头 [rain]   雪

辶：走之底 [walk, move]   进 还 边

---

[*] 严格说来汉字部首表意和表音的功能不是截然分开的。但是，为了帮助学生理解汉字的结构，我们把部首分成"表意部首"和"表音部首"分别介绍。

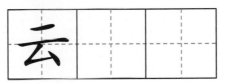

二、镜子

你哭他也哭，

你笑他也笑，

脸上脏不脏，

看他就知道。

爸爸　　妈妈

我爱爸爸　我爱妈妈

---

* 中文的"他"字，可以泛指男、女，以及一切事物，通"他"、"她"和"它"。

镜　他　也　哭　笑　脸

脏　就　知　道　爸　妈　爱

---

1. 我在笑，你也在笑。我不哭，你也不哭。

2. 一二三，三二一，一二三四五六七，

   七个小朋友，都在屋子里。

3. 我家有一面镜子，你家有三面镜子，

   一共有几面镜子？

4. 我看见镜子里面有你，

   你看见镜子里面有他。

5. 妈妈爱我，爸爸也爱我；

   我爱妈妈，我也爱爸爸。

6. 我知道山上有雪，我知道山下有树。

7. 在山上看不见山下有树，

   在山下看不见山上有雪。

汉字结构
第二周

独体字：

口　也

合体字：

⊟（上下结构）：　哭　笑　爱

▯▯（左右结构）：　镜　你　他　脸　脏　知

凵　冂（半包围结构）：道　看

表意部首
（Meaning Clue）
第二周

亻：单人旁 [person]　　你　他　做

女：女字旁 [woman]　　妈

钅：金字旁 [metal]　　镜

⺮：竹字头 [bamboo]　　笑

目：目字底 [eye]　　看

目：目字旁 [eye]　　眼　睛　睡

辶：道　进　边　还

表音部首
（Sound Clue）
第二周

巴：爸

课堂习字
第二周

（竖折折钩）：妈 鸟

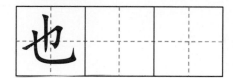

也

哭

爸

妈

三、袋鼠

有个妈妈好奇怪，
胸前挂个大口袋，
不放水果不放菜，
娃娃爬进袋里来。

字和画
第三周

土

石

田

米

木

袋　鼠　奇　怪　好　胸　挂　放　果
菜　娃　爬　来　米　田　石　土　木

---

1. 袋鼠有一个口袋，小朋友也有一个口袋。
   小朋友口袋里放花生，袋鼠口袋里放娃娃。

2. 你胸前有一朵花，他胸前也有一朵花。

3. 千朵花，万朵花，树上开了好多花。

4. 袋鼠妈妈爱小袋鼠，我妈妈爱我。

5. 我家里有水果，你家里也有水果。
   水果有红的，有黄的，也有绿的。

6. 小袋鼠睡在他妈妈的口袋里，我看不见
   小袋鼠。

7. 你看，地上好脏！

8. 一只大袋鼠加五只小袋鼠，一共有几只
   袋鼠？

9. 树上有八只鸟，飞走两只鸟，还剩几只鸟？

汉字结构
第三周

独体字：

口 果 土 石 田 米 木 来

合体字：

▤ （上下结构）： 袋 鼠 奇

▥ （上中下结构）：菜

▦ （左右结构）： 好 怪 胸 挂 放 娃

▧ （半包围结构）：爬

表意部首
（Meaning Clue）
第三周

扌： 提手旁 [hand]   挂 掉

月 *： 肉月旁 [flesh, related to human body]

胸 脸 脚 胖 朋 脏

艹： 草字头 [grass, related to plants]

菜 花 蓝 葡 萄 萝

衣： 衣字底 [clothes]   袋

女： 娃 好 妈

表音部首
（Sound Clue）
第三周

圭：娃 挂

巴：爬 爸

* 俗称"月字旁"，和身体有关。

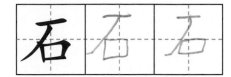

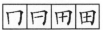

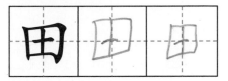

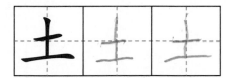

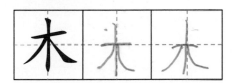

课 文
第四周

四、画

远看山有色，

近听水无声，

春去花还在，

人来鸟不飞。

生 字
第四周

画　远　色　近　听　无　声　春　人

1. 胖胖坐在路边，他手里有一朵花。

2. 你看，胖胖脸上脏不脏？不脏！不脏！

3. 小白鸟飞到树上，大黑鸟也飞到树上，
  小黄鸟飞到树上，大蓝鸟也飞到树上。

4. 小鸟飞飞，小鸟飞飞。
  小鸟飞去又飞来，小鸟飞来又飞去，
  小鸟飞远又飞近，小鸟飞近又飞远。

5. 我听见他在哭，我看见你在笑。

6. 我知道妈妈爱我，我还知道爸爸爱我，
  我也爱爸爸妈妈。

7. 我走到你家，你走到他家，他走到我家。

汉字结构
第四周

独体字：

□ 人

合体字：

⊟（上下结构）：　色　声　春

⊡（左右结构）：　听

◲（半包围结构）：远　近

表意部首
（Meaning Clue）
第四周

日：　日字底 [sun]　　春

辶：近　远　还　进　边　道

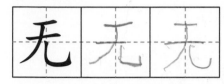

wu = withouf,

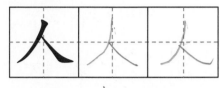

ren = human

niao = birds

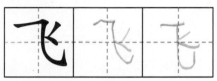

Fei = fly

课　文
第五周

五、小蝌蚪

小蝌蚪，细尾巴，
身子黑，脑袋大，
水里生，水里长，
长着长着就变啦。

多了四条腿，

少了细尾巴，

脱下黑衣服，

换上绿裤褂。

咦！

变成一只小青蛙。

生 字 第五周　　　蝌 蚪 细 身 脑 长 着 变 啦

生 字 第六周　了 腿 脱 衣 服 换 裤 褂 咦 成 青 蛙

读词读句
第五周

1. 小蝌蚪脑袋好大，小蝌蚪尾巴好细。

2. 一只小鸟飞来了，飞着飞着，飞近了。
   一只小鸟飞去了，飞着飞着，飞远了。

3. 小萝卜长大了，小娃娃也长大了。

4. 我坐在左边，他坐在右边，你立在中间。

5. 奇怪，奇怪，胖娃娃哭着哭着就笑了！

6. 小朋友走着走着就坐下了。

7. 小蝌蚪不会走路，小朋友会走路。
   公鸡会走路，还有小鸟也会走路。

8. 小萝卜长着长着，就变成大萝卜啦！

1. 风来啦，雪来啦，小朋友，进屋啦。

2. 青蛙有四条腿，公鸡只有两条腿。
   青蛙比公鸡腿多，公鸡比青蛙腿少。

3. 小蝌蚪变成了小青蛙，
   小袋鼠变成了大袋鼠。

4. 你衣服多，裤子少。我裤子多，衣服少。
   你衣服比我多，我裤子比你多。

5. 我有白衣服，蓝衣服，还有红衣服。
   他有黑裤子，黄裤子，还有绿裤子。

6. 你脱下白衣服，换上黑衣服。
   他脱下黄裤子，换上蓝裤子。

汉字结构
第五、六周

独体字：

口 身 长 了 衣 成

合体字：

目（上下结构）： 变 青 多 黑

目目（左右结构）： 蚪 细 脑 脱 服 换 裤 咦 蛙

目目目（左中右结构）： 蝌 啦 腿 褂

门（半包围结构）： 着

表意部首
（Meaning Clue）
第五、六周

虫 ： 虫字旁 [worms, bugs, related to small animals] 蝌 蚪 蛙

口 ： 口字旁 [mouth] 啦 咦

灬： 四点火 [fire] 黑

衤： 衣字旁 [clothes] 裤 褂

纟： 细 红 绿 线

月： 脑 腿 脱 服 胸 脸 脏 脚 胖 朋

扌： 换 掉 挂

表音部首
（Sound Clue）
第五、六周

圭： 褂 蛙 娃 挂

（横撇）：水

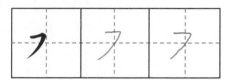

丿 乡 乡 细

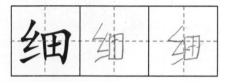

丿 仁 牛 生

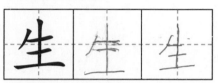

丿 刀 水

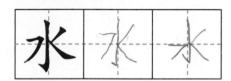

口 曰 旦 甲 里

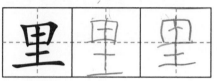

丿 勺 夕 多

丨 小 少

𠃌 了

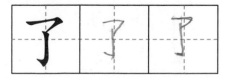

丨 冂 四 四

课 文
第七周

六、小小的船

弯弯的月亮小小的船，

小小的船儿两头尖，

我在小小的船里坐，

只看见闪闪的星星蓝蓝的天。

字和画
第七周

日

月

水

火

弯 的 月 亮 船 尖 闪 星 天 日 火

1. 云儿在天上，星星在天上，月亮也在天上。

2. 月亮大，星星小，星星有好多好多，
月亮只有一个。

3. 我知道画上的鸟不会飞，画上的人不开口。

4. 星星在天上闪着，鸟儿在树上睡着。

5. 花在地上开着，小袋鼠在妈妈胸前的
袋里睡着。

6. 白色，黑色，红色，绿色，蓝色。

7. 蓝的天，白的云，绿的树，红的花，黑的鸟。

8. 船上有个人，天上有颗星，
人看着星，星看着人。

9. 我有八朵花，你有四朵花，
我的花加上你的花，一共有几朵花？

10. 大船上有六个人，小船上有三个人，
大船上的人比小船上的人多几个？

汉字结构 第七周	独体字： 口 日 月 火 天 合体字： 🞐 （上下结构）： 弯 尖 星 🞐 （上中下结构）：亮 蓝 🞐 （左右结构）： 船 的 🞐 （半包围结构）：闪
表意部首 （Meaning Clue） 第七周	舟 ： 舟字旁 [boat] 船 小 ： 小字头 [small] 尖 门 ： 门字框 [door] 闪 间
表音部首 （Sound Clue） 第七周	弯 变

（竖撇）：月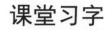

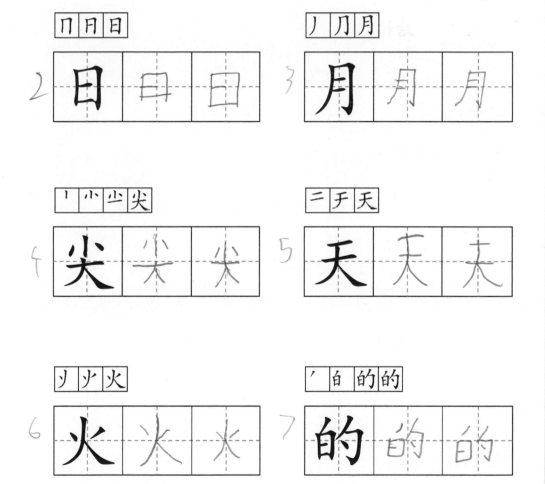

七、一头牛

一头牛，两匹马，
三件衣服四个娃。
五只羊，一群鸭，
十棵桃树百朵花。

鸟

鱼

虫

草

牛 四 马 件 羊 群 鸭 桃 百 鱼 虫 草

1. 你有葡萄，我也有葡萄。
  你有桃子，我也有桃子。
  你的葡萄比我多，我的桃子比你多。

2. 一只小鸟红尾巴，一只公鸡绿尾巴，
  一只鸭子黑尾巴，一群大羊白尾巴。

3. 我坐在小船上，你坐在小船上，
  大家都坐在小船上。

4. 春天里，百花开，小娃娃，上山来。
  小娃娃看见红的花，看见绿的草，
  看见蓝的天，看见白的云。

5. 一匹大马在路上走，两个娃娃坐在马上。

6. 小虫 大牛 花鸭 绿草

7. 九条鱼减去四条鱼，还剩几条鱼？

8. 八件衣服减去五件衣服，还剩几件衣服？

9. 一 二 三 四 五 六 七 八 九 十 百 千 万

汉字结构
第八周

独体字：

□　牛 马 羊 四 百 虫

合体字：

☐（上下结构）：草 鱼

☐☐（左右结构）：件 群 鸭 棵 桃

表意部首
（Meaning Clue）
第八周

鸟：鸟字旁 [bird]　鸭 鸡

木：木字旁 [wood]　棵 桃 树

木：木字底 [wood]　朵 条

亻：件 你 他 做

艹：草 菜 花 蓝 葡 萄 萝

课堂习字

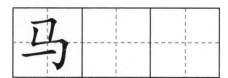

总复习

一、 说一说以下笔画的名称，并在括号里写
出一个例字：

1、一 （ 　 ）　　2、丨 （ 　 ）　　3、丿 （ 　 ）

4、㇏ （ 　 ）　　5、丶 （ 　 ）　　6、㇕ （ 　 ）

7、⌒ （ 　 ）　　8、㇟ （ 　 ）　　9、㇜ （ 　 ）

10、㇇ （ 　 ）　　11、𠃌 （ 　 ）　　12、亅 （ 　 ）

13、凵 （ 　 ）　　14、乙 （ 　 ）　　15、𠃌 （ 　 ）

16、㇍ （ 　 ）　　17、㇆ （ 　 ）　　18、丿 （ 　 ）

19、㇉ （ 　 ）

二、 说一说本学期学的表意部首 (Meaning Clues) 的
中文名称和英文意义，并在括号里写出一
个例字：

1、纟 （ 　 ）　　2、雨 （ 　 ）　　3、辶 （ 　 ）

4、亻 （ 　 ）　　5、女 （ 　 ）　　6、钅 （ 　 ）

7、竹 （ 　 ）　　8、目 （ 　 ）　　9、日 （ 　 ）

10、扌 （ ）　　11、月 （ ）　　12、艹 （ ）

13、衤 （ ）　　14、日 （ ）　　15、虫 （ ）

16、口 （ ）　　17、灬 （ ）　　18、礻 （ ）

19、舟 （ ）　　20、⺌ （ ）　　21、门 （ ）

22、鸟 （ ）　　23、扌 （ ）　　24、木 （ ）

三、读一读这学期学的字词：

风 云 雨 雪 春 日 月 月 亮 天 星

他 爸 妈 娃 娃 人

袋 鼠 蝌 蚪 青 蛙 牛 马 羊 鸭 鱼 虫

线 镜 子 脸 口 袋 菜 水 果 米 石 田
土 水 火 画 衣 服 裤 子 褂 子 裤 褂 草
桃 树 桃 子 色 声 (尘*)

自 然
（Nature）

人
（People）

动 物
（Animals）

事 物
（Things）

---

* 带 "*" 的字是教学中带进的补充字，不要求学生掌握。此类情况本书不再重复说明。

动 词 （Verbs）	掉　掉进　哭　笑　知道　爱　爬　来 去　进来　听　变　变成　脱　换　闪
形容词 （Adjectives）	弯　亮　尖　远　近　脏　奇怪　好　（坏*）
量 词 （Measure words）	条　头　匹　件　群　棵　朵
数 字 （Numbers）	百　千　万
感叹词 （Interjections）	啦　咦
其 他 （Others）	就　的　着　了　成　无　也

四、读一读上学期学的字词：

身 体 （Body）	眼睛（目）　耳朵　鼻子　嘴（嘴巴、口） 手　头　脚　毛　尾巴
事 物 （Things）	葡萄　花生　萝卜　树　花　山　地　家　路 屋子　门　帐子

我 你 大家 朋友 男 女 胖子　　　　人
（People）

公鸡 鸟　　　　动 物
（Animals）

上 下 左 右 中 前 后 上边 下边　　　　方 向
上面 下面 里面 中间 底下　　　　（Directions）

看 看见 看不见 有 会 做事 开口 钻　　　　动 词
睡 坐 立 走 算 去 加 减 比 到 飞　　　　（Verbs）

大 小 多 少　　　　形容词
（Adjectives）

黑 白 红 绿 黄 蓝　　　　颜 色
（Colors）

颗 棵 片 个 朵 只 里 座　　　　量 词
（Measure words）

一 二 三 四 五 六 七 八 九 十 两　　　　数 字
（Numbers）

在 不 都 只 一共 还剩　　　　其 他
（Others）

Meaning Clues 字表

Meaning Clues	本单元生字	以前学的生字
纟	线 细	红 绿
雨	雪	
辶	进 道 近 远	边 还
亻	他 件 你 做	
女	妈 好 娃	
钅	镜 钻	
竹	笑 算	
目	着	看
目		眼 睛 睡
扌	掉 挂 换	
月	脸 脏 胸 脑 腿 脱 服 青	朋 脚 胖
艹	菜 草	葡 萄 萝 蓝 花
衣	袋	
日	春	
虫	蝌 蚪 蛙	
口	听 啦 咦 嘴	
灬		黑
衤	裤 褂	
舟	船	
小	尖	
门	闪	间
鸟	鸭	鸡
木	桃	树 棵
木	朵 条	

总生字表

一、《雨》（11）

雨 千 万 条 线 掉 进 水 风 云 雪

二、《镜子》（13）

镜 他 也 哭 笑 脸 脏 就 知 道 爸 妈 爱

三、《袋鼠》（18）

袋 鼠 奇 怪 好 胸 挂 放 果

菜 娃 爬 来 米 田 石 木 土

四、《画》（9）

画 远 色 近 听 无 声 春 人

五、《小蝌蚪》（21）

蝌 蚪 细 身 脑 长 着 变 啦

了 腿 脱 衣 服 换 裤 褂 咦 成 青 蛙

六、《弯弯的月亮》（11）

弯 的 月 亮 船 尖 闪 星 天 日 火

七、《一头牛》（12）

牛 四 马 件 羊 群 鸭 桃 百 鱼 虫 草

（合计95字，累计200字）

马立平课程

中 文

一年级

第三单元

编写 马立平

审定 庄　因

插图 吕　莎

一、小山羊

小山羊和小鸡做朋友。小鸡请小山羊吃小虫。小山羊说："谢谢你，我不吃小虫。"

小山羊和小猫做朋友。小猫请小山羊吃鱼。小山羊说："谢谢你，我不吃鱼。"

和　请　吃　说　谢　猫　狗　骨　同

小山羊和小狗做朋友。小狗请小山羊吃骨头。小山羊说："谢谢你，我不吃骨头。"

小山羊和小牛做朋友。小牛请小山羊吃青草。小山羊说："谢谢你！"小山羊和小牛一同吃青草。

小山羊 小鸡 小猫 小狗 小牛 小虫 和 请
做朋友 吃 说 谢谢 不吃 骨头 青草 一同

表意部首
（Meaning Clue）
第一周

讠： 言字旁 [speech]　　说　谢

犭： 反犬旁 [dog]　　　狗　猫

禾： 禾木旁 [crop]　　　和

冂： 同字框 [a border]　　同

月： 骨 ｜ 青 脸 脚 腿 脱 胸 脑 胖 朋 脏 服

口 ： 吃 ｜ 啦 咦 嘴 听

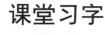

草字头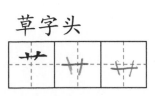

禾木旁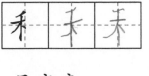

口字旁

同字框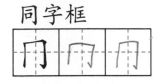

月字旁

言字旁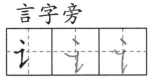

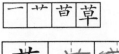
草 草 草

和 和 和

青 青 青

请 请 请

朋 朋 朋

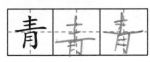
同 同 同

吃 吃 吃

鱼 鱼 鱼

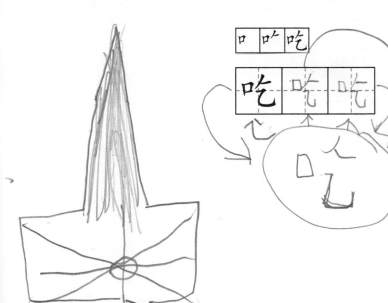

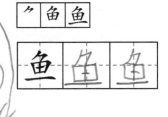

爱吃和不吃

小猫爱吃鱼，不吃青草。小狗爱吃骨头，也不吃青草。小马、小牛和小羊爱吃青草，不吃鱼和骨头。

袋鼠妈妈

袋鼠妈妈的娃娃不见了。小鸡说："袋鼠妈妈，前面有一棵桃树，我看见小袋鼠坐在桃树底下。"

袋鼠妈妈听了，说："谢谢你，小鸡。"

爱吃　不见了　前面　坐在　听了

天黑了

弯弯的月亮，在天上挂着，

小小的星星，在天上闪着。

小虫，在草地上睡了。

小鸟，在大树上睡了。

小朋友，在屋子里睡了。

挂着　闪着　睡了　草地

二、种鱼

阿姨把玉米种到地里。到了秋天，收了很多玉米。

叔叔把花生种到地里。到了秋天，收了很多花生。

　　小猫看见了，把小鱼种到地里，它想收很多小鱼呢！

种 阿 姨 把 玉 秋 收 很 叔 它 想 呢

在 春天 阿姨 把 玉米 种 地里 到了
秋天 收了 很多 叔叔 花生 它 想 小鱼 呢

表意部首
（Meaning Clue）
第二周

阝： 左耳旁 [a hill; continent]

彳： 双人旁 [one small step]

心： 心字底 [the heart; the mind]

刂： 立刀旁 [a knife; a sword]

土： 提土旁 [earth; land; soil; ground]

攵： 反文旁 [to rap; to tap]

女： 姨 ｜ 妈 娃 好

禾： 种 秋 ｜ 和

口： 呢 ｜ 吃 啦 姨 嘴 听

扌： 把 ｜ 换 掉 挂

阿
很
想
到
地
收

表音部首
（Sound Clue）
第二周

夷： 咦 姨

巴： 爸 把

中： 种

提

提手旁

立刀旁

提土旁

双人旁

二 干 王 玉

玉

曰 日 旦 甲 里

里

一 云 至 到

到

艹 艻 花 花

花

二 千 禾 种

种

彳 彳 彳 彳 很

很

一 寸 扌 把

把

土 圠 圳 地

地

玉米和花生

阿姨请我吃玉米，我说："谢谢阿姨！"
叔叔请我吃花生，我说："谢谢叔叔！"
玉米和花生都很好吃。

我家的小猫

我家的小猫，有一身雪白雪白的毛。
尖尖的耳朵，细细的尾巴，也都是白色的。
它的两只眼睛，一只蓝的，一只绿的，
很好看。

好吃　雪白　尖尖的　细细的　白色　好看

种花

春天，我在门前种了很多花。到了秋天，花开了，有红的，有蓝的，还有白的。有的花很大，有的花很小。爸爸妈妈都爱我种的花。

种花　花开了　还有　有的　很大　很小

三、落叶

　　秋风吹，天气凉。树叶黄了，一片一片的树叶，从树枝上落下来。

　　树叶落在地上，小虫爬来，躲在里面，把它当作屋子。

　　树叶落在沟里，蚂蚁爬上来，坐在中间，把它当作船。

生 字 第三周

落 叶 吹 气 凉 从 枝 躲 当 作 沟 蚂 蚁

生 字 第四周

河 游 过 藏 伞 顶 燕 低 信 们 要 南 方

　　树叶落在河里，小鱼游过来，藏在底下，把它当作伞。

　　树叶落在屋顶上，燕子飞过看见了，低声说："信来了，我们要到南方去了。"

落叶　秋风　吹　天气　凉　树叶　黄　从
树枝　落下来　落在　地上　爬躲　它
当作　沟　蚂蚁　坐　船

河　游　过来　藏　伞　屋顶　燕子　低声
信　我们　要　到　南方

表意部首
（Meaning Clue）
第三、四周

氵：三点水 [water]　　沟　河　游

冫：两点水 [ice, cold]　　凉

宀：宝盖头 [roof]　　它

女：女字底 [woman]　　要

艹：落　藏 ｜ 草　菜　花　蓝　葡　萄　萝

口：吹　叶 ｜ 吃　呢　啦　咦　嘴　听

亻：作　低　信　们 ｜ 你　他　件　做

木：枝 ｜ 树　棵　桃

虫：蚂　蚁 ｜ 蝌　蚪　蛙

灬：燕 ｜ 黑

辶：过 ｜ 近　远　还　进　边　道

表音部首
（Sound Clue）
第三、四周

马：蚂　妈

横折弯钩

飞	飞	飞

口 叶

叶	叶	叶

丶 乍 气

气	气	气

宝盖头

宀	宀	宀

课堂习字
第三周

从 从

从	从	从

口 中 虫

虫	虫	虫

一 ナ オ 在

在	在	在

几 凤 风

风	风	风

丷 ⺍ 坐 坐

坐	坐	坐

丶 宀 宁 它

它	它	它

走之底

辶	辶	辶

一 十 寸 讨 过

过	过	过

一 十 土 去 去

去	去	去

三点水

氵	氵	氵

氵 汀 河 河

河	河	河

人 个 伞

伞	伞	伞

一 一 西 西 要

要	要	要

女字底

女	女	女

一 一 㔾 平 来

来	来	来

丨 ⺍ 当 当

当	当	当

飞 飞

飞	飞	飞

课堂习字
第四周

小鸟的家

　　树上的叶子绿绿的，树上的果子红红的，小鸟爱大树，它的家就在大树枝上。

　　风一吹，树叶落到小鸟的家里，小鸟睡在绿叶上面。

　　风一吹，果子掉进小鸟的家里，小鸟吃着红红的果子。你说，小鸟的家好不好？

新词汇

第三周

果子　　就在　　绿叶　　吃着　　红红的

蚂蚁上树

一只蚂蚁爬上树，

树叶当作它的屋。

一群蚂蚁爬上树，

风把蚂蚁吹下树。

上树　爬上树　吹下树

衣服

　　小黄狗有一件黄衣服，小黑猫有一件黑衣服，小山羊有一件白衣服，小青蛙有一件绿衣服，小红马有一件红衣服。大家的衣服都不同。

不同

下雨了

下雨了，下雨了！小猫躲进屋子里面，小鸟躲在树叶下面，小青蛙躲到河水里面，小朋友躲在雨伞下面，小袋鼠躲在妈妈胸前的袋子里面。

躲进　躲在　雨伞

爬、游、飞

小虫会爬，蚂蚁也会爬，它们爬到屋顶上。

小鱼会游，蝌蚪也会游，它们游到小河里。

燕子会飞，大鸟也会飞，它们飞到很远很远的南方去。

很远

课后阅读
第四周（3）

做朋友

我和燕子做朋友，　　　　燕子、小猫、小狗说：

我请燕子吃小虫。　　　　"谢谢你！谢谢你！"

我和小猫做朋友，　　　　我知道，我知道，

我请小猫吃小鱼。　　　　燕子爱吃虫，

我和小狗做朋友，　　　　小猫爱吃鱼，

我请小狗吃骨头。　　　　小狗呢，它爱吃骨头。

我知道

新词汇
第四周

四、下雪的时候

冬天到，雪花飘，小狗和小鸡一起出去玩。

小狗在雪地里跑，雪上留下了小狗的脚印。小狗对小鸡说："你看，你看，这是我画的梅花。"

时　候　冬　飘　起　出　玩　跑
留　印　对　这　是　那　梅　竹

　　小鸡在雪地里跑，雪上留下了小鸡的脚印。小鸡对小狗说："你看，你看，那是我画的竹叶。"

下雪　时候　冬天　雪花飘　一起　出去玩　雪地　跑　留下　脚印　对　这是　那是画　梅花　竹叶

表意部首
（Meaning Clue）
第五周

𧾷 ： 足字旁 [foot]	跑	路
𤣩 ： 王字旁 [jade]		玩
卩 ： 硬耳旁 [a joint; a seal]		印
走 ： 走字旁 [walk]		起
日 ： 日字旁 [sun]		时
阝： 右耳旁 [a region; a city]	那	都

亻： 候 ｜ 作 低 信 们 你 他 件 做

木： 梅 ｜ 枝 树 棵 桃

辶： 这 ｜ 近 远 还 进 边 道 过

雨字头

王字旁

又字旁

目字底

丿 夕 冬 冬

一 币 雨 雪 雪

又 又一 对 对

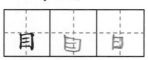

三 干 王 玕 玩

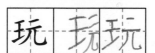

三 尹 看

二 文 辽 这

一 画 画

艹 花 花 花

雪娃娃

　　冬天，下了大雪。小朋友们从家里跑出来，他们要做一个雪娃娃。雪娃娃大大的脑袋，大大的身子，看不见腿，也看不见脚。一只红红的萝卜当作鼻子，很好玩。小朋友看着雪娃娃，笑了。雪娃娃看着小朋友，也笑了。

新词汇
第五周

大雪　看着　好玩　笑了

爸爸画画

我的爸爸爱画画。我请他画鸟，他画了两只鸟。这一只在天上飞，那一只在树上吃小虫。我请他画马，他画了一群马。有的马在吃草，有的马在草地上玩，还有的马在草地上飞跑。

画画　飞跑

新词汇
第五周

蚂蚁过冬

秋天的时候，蚂蚁看见地上有一颗玉米，它们把玉米藏到家里去。蚂蚁看见地上有一颗花生，它们把花生也藏到家里去。冬天，下雪了，蚂蚁就在家里吃它们秋天藏起来的玉米和花生。

过冬　藏到　藏起来

秋和冬

秋风吹，秋风吹，

片片落叶飞飞飞。

冬天到，冬天到，

朵朵雪花飘飘飘。

课 文
第六周

五、乌鸦喝水

一只乌鸦口渴了，到处找水喝。

乌鸦看见一个瓶子，瓶子里有水。可是，瓶子很高，瓶口又小，里面的水不多，它喝不着。怎么办呢？

生 字
第六周

乌 鸦 喝 渴 处 找 瓶 可

高 又 <u>着</u>* 怎 么 办 法 慢 升

---

* 此处的"着"字为多音字。课文生字中的多音字下有双划线，本书此后不再重复说明。

乌鸦看见地上有很多小石子。它想出办法来了。

乌鸦把小石子一个一个放到瓶子里。

瓶子里的水慢慢升高了，乌鸦就喝着水了。

乌鸦　喝水　口渴　到处　找　瓶子　可是

很高　瓶口　喝不着　怎么办　想出　办法

放到　慢慢　升高

表意部首
（Meaning Clue）
第六周

忄 ： 竖心旁 [heart; mind] 慢 怪

口 ： 喝 ｜ 吹 吃 呢 啦 咦 嘴 听 叶

氵 ： 渴 法 ｜ 沟 河 游

攵 ： 放 ｜ 收

扌 ： 找 ｜ 换 掉 挂 把

鸟 ： 鸦 ｜ 鸭 鸡

课堂习字
第六周

斜钩

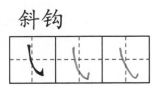

小鱼和星星

天上有很多星星。星星亮亮的，一闪一闪的。河里也有很多星星，也是亮亮的，也是一闪一闪的。小鱼看见了，很奇怪。它想，星星到底是从天上掉到河里来的呢，还是从河里飞到天上去的？小朋友，你们知道不知道？

亮亮的　很奇怪　到底

白云下面的草地

蓝蓝的天上，飘着白云。白云下面，是绿色的草地。绿色的草地上，小马在跑，小羊在跑，小朋友也在跑。

过了一天又一天，小马长大了，长成了大马。小羊长大了，长成了大羊。小朋友也长大了，长成了大朋友。

飘着　过了　一天又一天　长大　长成

小燕子和小乌鸦

　　这儿是小燕子的家，燕子妈妈出去了。那儿是小乌鸦的家，乌鸦妈妈也出去了。小燕子想找朋友玩。它找到了小乌鸦。

　　小燕子和小乌鸦来到一条弯弯的小河，它们一起在河边喝水。它们飞上一棵高高的大树，一起在树上吃虫。

新词汇
第六周

出去　找到　来到　高高的

小乌鸦

小乌鸦，想喝水，

瓶高水少喝不着。

小乌鸦，想办法，

放进石子水升高。

小乌鸦，喝着水，

飞到树上对我笑。

六、小猴子下山

有一天，一只小猴子下山来。它走到一片玉米地里，看见地里的玉米又大又多，非常高兴，就摘了一个往前走。

小猴子拿着玉米，走到一棵桃树下。它看见满树的桃子又大又红，非常高兴，就扔了玉米去摘桃子。

小猴子拿着几个桃子，走到一片瓜地里。它看见满地的西瓜又大又圆，非常高兴，就扔了桃子去摘西瓜。

小猴子抱着西瓜往回走。走着走着，看见一只小兔蹦蹦跳跳的，真可爱。它非常高兴，就扔了西瓜去追小兔。

小猴子在小兔后面追啊追啊，不一会儿，小兔跑进树林，不见了。小猴子只好空着手回家去。

生字 第七周	猴 非 常 兴 摘 往 拿 满 扔
生字 第八周	西 瓜 圆 抱 回 兔 蹦 跳 真 追 啊
	林 空

词汇 第七周	有一天　小猴子　下山　走到　又大又多
	非常　高兴　就　摘　往前走　拿着　一棵
	桃树　满树　桃子　又大又红　扔
词汇 第八周	瓜地　满地　又大又圆　抱着　西瓜　往回走
	走着走着　小兔　真可爱　蹦蹦跳跳　追啊
	跑进　树林　不见了　只好　空着手　回家去

口： 大口框 [an enclosure] 　　　　圆　回

穴： 穴字头 [a cave; a den; a hole] 　　空

犭： 猴 | 狗 猫

氵： 满 | 渴 法 沟 河 游

扌： 摘 扔 抱 | 找 把 换 掉 挂

彳： 往 | 很

木： 林 | 梅 枝 树 棵 桃

辶： 追 | 这 近 远 还 进 边 道 过

口： 啊 | 喝 吹 吃 呢 啦 咦 嘴 听 叶

足： 蹦 跳 | 跑 路

课堂习字
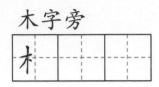
第七周

木字旁

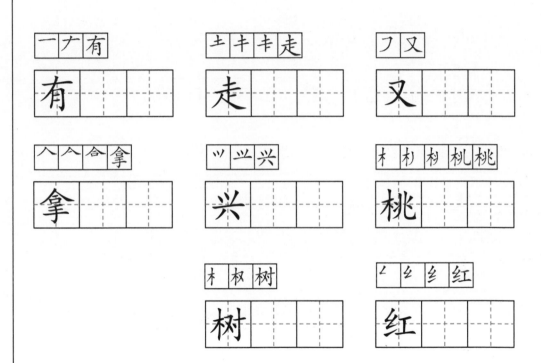

足字旁　　　　　穴字头

趴　足　趴　　　穴　穴

丆　丙　西　西　　　厂　瓜　瓜　　　冂　回　回

西　西　西　　　瓜　瓜　瓜　　　回　回　回

女　女　好　好　　　口　卩　足　趵　蹦　蹦　　　足　趴　趴　跳　跳

好　好　好　　　蹦  　　　跳

扌　扚　抱　抱　　　宀　穴　空

抱　抱　抱　　　空　空　空

梅花和雪花

冬天，满树的梅花开了。小小的花朵，很多很多，红红的，白白的，真好看。我摘几朵梅花拿回家，放在屋子里，屋子里也变好看了。

冬天，满天的雪花飘飘，一片，两片，三片，四片……雪花落到地上，地上变白了。雪花落到树上，树上变白了。雪花落到屋顶上，屋顶也变白了。

新词汇
第七周

小小的　白白的　拿回家　满天　飘飘

小蝌蚪不见了

我有一只瓶子，瓶子里放着水，水里有一群小蝌蚪。小蝌蚪大脑袋，细尾巴，黑黑的身子，在水里游来游去，非常好玩。日子一天天过去，小蝌蚪的身子下面，慢慢长出两条小小的后腿。过了几天，又长出了两条小小的前腿。

有一天，瓶子里的小蝌蚪不见了！妈妈对我说："你的小蝌蚪长大了，变成小青蛙找妈妈去了。"

游来游去　日子　过去　长出

前腿　后腿　长大　跳走了

课后阅读
第七周（3）

山羊上山

一只山羊想到山上去吃草。山很高，一眼看去，看不到山顶。可是，山羊很会爬山。它低着头，往高处走，走着走着，就到了山顶。山顶上的草绿绿的，山羊很高兴。它往下面一看，山下的屋子变小了，树也变小了，它的好朋友黄牛和白马，都看不见了。山羊吃了青草，高高兴兴下山去了。

新词汇
第七周

一眼　看不到　山顶　很会　爬山

低着头　高处　一看　变小　高高兴兴

摘桃

　　小猴冬冬和小猴青青一起去摘桃子。它们来到一片桃树林。冬冬找到一棵桃树，上面长满了大大的桃子。冬冬把树上的桃子一个一个摘下来，放在袋子里。可是青青呢，一边摘，一边玩。它一会儿爬到一棵高高的树上，一会儿又爬到一棵低低的树上，摘一个桃子，吃一个。天黑了，冬冬摘了满满的两大袋桃子。这时候，青青的袋子还是空空的。

桃树林　　长满了　　一边

一会儿　　满满的　　空空的

小鸭子哭了

小鸭子哭了，它找不到妈妈了。

小牛走过来，说："小鸭子，不哭，我和你一起玩。"小兔子跳过来，说："小鸭子，不哭，我和你一起玩。"小鸟飞过来，说："小鸭子，不哭，我也和你一起玩。"小鸭子不哭了。小猴子跑来，说："小鸭子，你往那边看，你妈妈来了！"小鸭子一看，看见妈妈，它笑了。

哭了　找不到　不哭　笑了

扔石子

　　我和亮亮走在一条小河边，脚底下有很多小石子。亮亮对我说："小花，你来看我扔石子。"我说："好，我看。"他右手拿起一颗小石子，往河里一扔。小石子在水面上一蹦一跳的，跳到河对面去了。我也拿起一颗石子，一扔，可是石子掉进河里，不见了。

　　我说："我的石子怎么不会跳到对面去呢？"亮亮笑笑说："你还小，你长大了，你扔的石子就会跳到河对面去了。"

脚底下　一扔　一蹦一跳　对面　就会

总复习

一、说一说以下笔画的名称，并在括号里写
出一个例字：

1、一（　） 　　2、丨（　） 　　3、丿（　）

4、乀（　） 　　5、丶（　） 　　6、𠃊（　）

7、⌒（　） 　　8、↓（　） 　　9、乚（　）

10、⁀（　） 　　11、丿（　） 　　12、亅（　）

13、𠃊（　） 　　14、乙（　） 　　15、𠃌（　）

16、𡿨（　） 　　17、⁔（　） 　　18、丿（　）

19、𠃑（　） 　　20、⌒（　） 　　21、乁（　）

22、乀（　）

二、说一说本学期学的表意部首 (Meaning Clues) 的
中文名称和英文意义，并在括号里写出
一个例字：

1、讠（　） 　　2、犭（　） 　　3、禾（　）

4、门（　） 　　5、阝（　） 　　6、彳（　）

7、心（　） 　　8、刂（　） 　　9、土（　）

10、夂（　　） 11、氵（　　） 12、冫（　　）

13、宀（　　） 14、女（　　） 15、𧾷（　　）

16、王（　　） 17、阝（　　） 18、走（　　）

19、日（　　） 20、忄（　　） 21、口（　　）

22、穴（　　）

三、说一说上个学期学的表意部首(Meaning Clues)
　　的中文名称和英文意义，并在括号里写
　　出一个例字：

1、纟（　　） 2、雨（　　） 3、辶（　　）

4、亻（　　） 5、女（　　） 6、钅（　　）

7、竹（　　） 8、目（　　） 9、目（　　）

10、扌（　　） 11、月（　　） 12、廿（　　）

13、衣（　　） 14、日（　　） 15、虫（　　）

16、口（　　） 17、灬（　　） 18、衤（　　）

19、月（　　） 20、小（　　） 21、门（　　）

22、鸟（　　） 23、礻（　　） 24、木（　　）

四、读一读这学期学的字词：

自 然
（Nature）

秋 冬 天气 沟 河 梅 竹叶 树枝 树林

人
（People）

阿姨 叔叔 我们

事 物
（Things）

信 伞 屋顶 瓶子 西瓜 玉米 骨 印

动 物
（Animals）

猫 狗 蚂蚁 燕子 乌鸦 猴子 兔子

动 词
（Verbs）

请 吃 说 谢 种 收 想 落 吹 爬 躲 游
藏 要 飘 出去 玩 跑 留 喝 找 升 摘 拿
扔 抱 回 蹦 跳 追 当作

形容词
（Adjectives）

凉 低 满 慢 圆 高 渴 高兴 空

感叹词
（Interjections）

呢 啊

其 他
（Others）

和 同 把 很 它 从 过 南方 时候 起 对
这 那 是 到处 可是 着 怎么办 办法 又
非常 往 真

五、读一读前两个学期学的字词：

风 云 雨 雪 春 日 月 月亮 天 星

自 然
(Nature)

眼睛（目） 耳朵 鼻子 嘴（嘴巴、口） 手
脚 脸 头 毛 尾巴

身 体
(Body)

葡萄 花生 萝卜 树 花 草 桃树 桃子 菜
水果 米 山 地 家 路 屋子 门 帐子 线
镜子 石 田 土 水 火 画 衣服 裤子 褂子
裤褂 口袋 色 声 （尘*）

事 物
(Things)

我 你 他 大家 爸爸 妈妈 朋友 男 女
娃娃 人 胖子

人
（People）

公鸡 鸟 袋鼠 蝌蚪 青蛙 牛 马 羊 鸭 鱼 虫

动 物
(Animals)

看 看见 看不见 有 会 做事 开口 钻 睡
坐 立 走 算 去 加 减 比 到 飞 掉
掉进 哭 笑 知道 爱 爬 来 去 进来 听

动 词
(Verbs)

形容词 （Adjectives）	大 小 多 少 弯 亮 尖 远 近 脏 奇怪 好 （坏*）
颜 色 （Colors）	黑 白 红 绿 黄 蓝
量 词 （Measure words）	颗 棵 片 个 朵 只 里 条 头 匹 件 群 朵
数 字 （Numbers）	一 二 三 四 五 六 七 八 九 十 两 几 百 千 万
感叹词 （Interjections）	啦 咦
方 向 （Directions）	上 下 左 右 中 前 后 上边 下边 上面 下面 里面 中间 底下 对面
其 他 （Others）	在 不 都 只 一共 还剩 就 的 着 了 成 无 也

Meaning Clues 字表

Meaning Clues	本单元生字	以前学的生字
讠	请 说 谢	
犭	猫 狗 猴	
禾	和 种 秋	
冂	同	
阝	阿 那 都	
彳	很 往	
心	想 怎	
刂		到 剩
扌		地
攵	收	放
氵	沟 河 游 渴 法 满	
冫	凉	家
女	要	
足	跑 蹦 跳	路
王	玩	
卩	印	脚
走	起	
日	时	
忄	慢	怪
口	圆 回	
穴	空	
纟		红 绿 线 细

Meaning Clues 字表（续）

Meaning Clues	本单元生字	以前学的生字
雨		雪
辶	过 这 追	边 还 进 道 近 远
亻	作 低 信 们 候	你 做 他 件
女	姨	妈 好 娃
钅		钻 镜
竹		算 笑
目	<u>着</u>	看
目		眼 睛 睡
扌	把 找 摘 扔 抱	掉 挂 换
月	骨	朋 脚 胖 脸 脏 胸 脑 腿 脱 服 青
艹	落 藏	葡 萄 萝 蓝 花
菜	草	
衣		袋
日		春
虫	蚂 蚁	蝌 蚪 蛙
口	吃 呢 叶 吹 喝	喝 啊 嘴 听 啦 姨
灬	燕	黑
衤		裤 褂
舟		船
小		尖
门		间 闪
鸟	鸦	鸡 鸭
木	枝 梅 林	树 棵 桃
木		朵 条

总生字表

一、《小山羊》（9）
　　和　请　吃　说　谢　猫　狗　骨　同

二、《种鱼》（12）
　　种　阿　姨　把　玉　秋　收　很　叔　它　想　呢

三、《落叶》（26）
　　落　叶　吹　气　凉　从　枝　躲　当　作　沟　蚂　蚁
　　河　游　过　藏　伞　顶　燕　低　信　们　要　南　方

四、《下雪的时候》（16）
　　时　候　冬　飘　起　出　玩　跑
　　留　印　对　这　是　那　梅　竹

五、《乌鸦喝水》（17）
　　乌　鸦　喝　渴　处　找　瓶　可　高
　　又　<u>着</u>　怎　么　办　法　慢　升

六、《小猴子下山》（22）
　　猴　非　常　兴　摘　往　拿　满　扔
　　西　瓜　圆　抱　回　兔　蹦　跳　真　追　啊　林　空

　　（合计 102 字，累计 302 字）

马立平课程

中文 一年级

暑假作业

编写 马立平

审定 庄　因

插图 吕　莎

比一比

猫头鹰会哭不会笑，

小花蛇会爬不会跳，

大鸵鸟会跑不会飞，

小白兔会跳不会叫。

两只袜子

妈妈：宝宝，你穿错袜子了，一只白的，一
　　　只黑的，快去换一下。

宝宝：妈妈，不用换啦，橱里那双袜子也是
　　　一只白的，一只黑的。

彩虹桥

雨过天晴白云飘，
蓝天飞过彩虹桥，
赤橙黄绿青蓝紫，
数数颜色有七条。
彩虹桥，谁来造？
太阳公公点头笑！

笑 话

小虫

妈妈：贝贝，刚才你吃糖，为什么不分一点
　　　儿给宝宝吃呢？你知道吗？一只母鸡
　　　找到了小虫，都会分给小鸡吃，你应
　　　该学一学母鸡！

贝贝：好，妈妈，如果我找到小虫，就全部
　　　都给宝宝吃。

大南瓜

大南瓜，黄又黄，

放在地上像座房。

围着房子转几转，

我和妹妹捉迷藏。

闪电和雷声

爸爸：宝宝，你知道为什么我们总是先看到

闪电，然后才听见雷声吗？

宝宝：因为眼睛长在前面，耳朵长在后面。

大皮鞋

小弟弟，真好笑，
爸爸的皮鞋脚上套。
皮鞋大，脚板小，
走起路来像姥姥。

比老师懂得多

宝宝：妈妈，现在我比老师懂得多啦。

妈妈：为什么？

宝宝：考试过后，我就升上二年级了，老师
　　　还留在一年级呢。

房子

池塘是青蛙的房子，
草地是虫儿的房子，
大树是小鸟的房子，
泥土是蚂蚁的房子。

最差的学生

爸爸：哎呀，贝贝，你要气死爸爸了！

贝贝：什么事啊，爸爸？

爸爸：你的老师告诉我，你现在是班上最差
的学生。

贝贝：爸爸，这不能怪我啊。

爸爸：啊？为什么？

贝贝：因为本来最差的那个同学，上个月转
到别班去了。

风婆婆

风婆婆，送风来，

送东风，桃花开，

送北风，雪花飞，

送来南风太阳晒。

奶奶胆小

宝宝：妈妈，奶奶的胆子小得要命啊。

妈妈：为什么？

宝宝：我们每次过马路，奶奶总是紧紧地抓

住我的手。

海豹

海豹，海豹，

实在可笑，

一边游泳，

一边睡觉。

不相信老师

妈妈：贝贝，你喜欢新来的老师吗？

贝贝：妈妈，我不能相信这位老师。

妈妈：为什么？

贝贝：起先，她说三加三等于六。过一会儿，
她又说二加四等于六。

贺年卡

小小雪花，
飘飘洒洒，
捡来一朵瞧一瞧，
原来是张贺年卡。
谁寄的？春娃娃。

教老师

妈妈：贝贝，今天你第一天上课，老师教了
　　　你什么呢？

贝贝：老师什么也没教我，是我教了她。

妈妈：什么，你教老师？

贝贝：是啊，老师问我，一加二是多少，我
　　　就教她是三。

会叫的鞋子

我的鞋子真好笑，
走起路来叽叽叫，
小猫把我当老鼠，
跟在后面喵喵喵。

牙痛

老师：贝贝，昨天你为什么没来上学呀？

贝贝：昨天我牙痛，去看牙医了。

老师：哦，现在牙还痛吗？

贝贝：我不知道，牙医把它拔掉了。

机器人

机器人，真奇妙，

不吃饭，不睡觉，

干起活来不偷懒，

还会唱歌把舞跳。

多一根骨头

老师：同学们，你们每个人身上都有二百零
六根骨头……

宝宝：不，老师，我有二百零七根。

老师：啊，为什么？

宝宝：昨天我吃鱼，吞下了一根鱼骨。

扣钮扣

一个眼，一个扣，
我帮它们手拉手，
结成一对好朋友。

"大"字多一横

爸爸：宝宝，"大"字上面多一横，是什么字啊？

宝宝：嗯……

爸爸：嗨，这么简单的字都不懂。你头上是什么？

宝宝：头发。

爸爸：那，头发上面呢？

宝宝：屋顶。

爸爸：哎，屋顶上面呢？

宝宝：嗯……

爸爸：你看看上面到底还有什么。

宝宝：还有……还有鸟在飞。

爸爸：哎！

老鼠打电话

小老鼠，淘气包，

打电话，不拨号。

拿起电话吱吱叫，

你说可笑不可笑。

到太阳上去

爸爸：人类登上了月球，真不简单。

宝宝：登上月球有什么了不起，将来我们还
　　　要登上太阳呢。

爸爸：太阳会把人烧焦的。

宝宝：爸爸，你真傻，我们不会晚上去吗？

两只羊

东边一只羊，西边一只羊，

一起来到小桥上。

你也不肯让，我也不肯让，

扑通掉到河中央。

假牙

爸爸：宝宝，做人要老实，不能有半点虚假。

宝宝：爸爸，那你为什么戴假牙呢？

爸爸：啊？

马虎的小企鹅

小企鹅，美滋滋，

穿件大大的黑褂子。

出门忘了系扣子，

露着白白的大肚子。

不会照料

宝宝：爸爸，我觉得妈妈不会照料小孩。

爸爸：嗯？怎么说？

宝宝：当我不想睡觉的时候，她叫我上床。

当我睡得正好的时候，她又把我叫醒了。

梦

花儿的梦是红的，
小树的梦是绿的，
露珠的梦是圆的，
娃娃的梦是甜的。

照片

宝宝：妈妈，这张照片上，和你站在一起的
　　　年轻人是谁呀？

妈妈：是怎样的年轻人呢？

宝宝：头发黑黑的，身材瘦瘦的。

妈妈：傻孩子，那是你爸爸呀。

宝宝：是爸爸？那么，现在和我们住在一起
　　　的光头大胖子是谁呢？

青青草

青青草，青青草，

娃娃和它最要好，

摔个跟斗也不疼，

又和小狗躲猫猫。

买笔

宝宝：妈妈，请你给我买一支新的笔吧。

妈妈：你的笔不是还能用吗？

宝宝：不行，这支笔老是写错字。

请星星

月亮弯弯，像只小船。

小船摇摇，摇到天边。

天边请来小星星，

嘻嘻哈哈坐满船，

满船星星眨眼睛，

来到我家院里玩。

爸爸

宝宝：妈妈，每个小孩都有一个爸爸，对吗？

妈妈：那当然啰，宝宝。

宝宝：我们家有我和贝贝两个小孩，那还有
　　　一个爸爸在哪儿呢？

睡午觉

枕头放放平，

花被盖盖好。

小枕头，小花被，

跟我一起睡午觉，

看谁先睡着。

什么最大

老师：同学们，世界上什么最大呀？

宝宝：世界上最大的是眼皮。

老师：哦，为什么？

宝宝：眼皮一合上，什么都被它遮住了。

天上玩玩

月亮圆圆，像只小盘。

月亮弯弯，像只小船。

坐上小船，天上玩玩。

长不高

贝贝：今天老师问我，什么东西能使万物生
长，我答不出来。宝宝，你能告诉我
吗？

宝宝：是雨水呀，贝贝。

贝贝：哦，我明白了。怪不得我老是长不高，
因为下雨天我总是打着雨伞走路的。

听见喜鹊叫

听见喜鹊叫，

客人就来到，

客人到我家，

我就把茶倒。

大黑狗

爸爸：哎，贝贝啊，你为什么这么惊慌地跑回来啊？

贝贝：路口有一只大黑狗对着我大声叫。

爸爸：嗨，不用害怕。你知道有句俗话吗？大声叫的狗是不会咬人的。

贝贝：是的，我知道。可是大黑狗知道这句俗话吗？

我和白云

云在天上跑，

我在地上跑，

跳到小河里，

一同洗个澡。

山上山下

爸爸：我们终于爬上山顶了。宝宝，你看，
山下的这片风景多美啊。

宝宝：爸爸，既然山下的风景美，我们这么
辛苦爬上山来干什么？

爸爸：啊？

下雪了

下雪了，下雪了，

屋子长高了，

小路变胖了，

大树变白了，

宝宝的鼻子变红了。

不受处罚

宝宝：爸爸，一个人会为了一件他没有做的

事情而受处罚吗？

爸爸：那当然不会了，那是不公正的嘛。

宝宝：太好了，爸爸，我没有做功课。

爸爸：啊？

小白兔

小白兔，白又白，

两只耳朵竖起来，

三瓣嘴，又张开，

想吃萝卜和白菜。

孩子吃奶

宝宝：老师说，一个孩子吃大象的奶，一个
月内体重就增加二十公斤。

妈妈：胡说，怎么会有这种事？是谁的孩子
啊？

宝宝：是大象的孩子。

妈妈：啊？

小草

小草小草，站好站好。

风儿梳头，雨儿洗澡。

太阳晒晒，长得高高。

一道难题

老师：宝宝，你选择考一道难题呢，还是考
　　　两道容易的题呢？

宝宝：嗯......考一道难题吧。

老师：好，那么你回答我，人是怎么来的呢？

宝宝：妈妈生的。

老师：那妈妈是谁生的呢？

宝宝：老师，这是第二道问题了。

小花猫

小花猫，真正乖，

喊它吃饭不出来，

奶奶生病床上睡，

它在床前陪奶奶。

苹果有虫

宝宝：贝贝，你在吃什么？

贝贝：苹果。

宝宝：当心苹果有虫。

贝贝：没关系，我的牙好，要当心的是虫。

小黄狗

小小黄狗，
尾巴当手，
一摇一摇，
欢迎朋友。

多些

妈妈：宝宝，如果人家给你东西，你应该说："多谢"，知道吗？

宝宝：知道了，妈妈。

妈妈：好，现在我给你这些糖果，你该说什么呢？

宝宝：多些，多些。

妈妈：啊？

小鹿

小鹿小鹿，

毛衣毛裤，

身上开花，

头上长树。

数字不骗人

老师：数字是不骗人的。比如一个人吃一盘
瓜子要吃五分钟。五个人吃，一分钟
就吃完了。

宝宝：老师，我明白了。一个人从大门口走
到课室要五分钟，五个同学一起走，
只要一分钟就到啦。

小溪

冬天，小溪结冰，
亮晶晶，亮晶晶。

春天，小溪弹琴，
丁丁丁！丁丁丁！

牙刷

爸爸：哎，我的牙刷哪儿去啦？

宝宝：爸爸，是我拿去用了。

爸爸：宝宝，你怎么可以用我的牙刷去刷牙
呢？宝宝：放心，我不是用它刷牙，
是刷皮鞋。

小星星

小星星，亮晶晶，

好像猫儿眨眼睛。

东一个，西一个，

东南西北数不清。

救人

宝宝：妈妈，今天老师带我们去海边野餐的
时候，我从海里救起一个同学。

妈妈：哇，你这么勇敢啊，宝宝。老师一定
称赞你了。

宝宝：没有。我不能不救他，他是被我推下
水的。

小鸭子

小鸭子，把鱼抓，
抓不住，抓青蛙，
气得青蛙叫呱呱，
吓得小鸭放了它。

鱼不能说话

贝贝：宝宝，你知道鱼为什么不能说话吗？

宝宝：贝贝，这么简单的事你还想不通吗？

在水里，谁能开口说话呢？

只会呼呼睡大觉

小胖猪，学赛跑，
学习赛跑怕跌倒。
小胖猪，学种蒜，
学习种蒜怕流汗。
小胖猪，真可笑，
只会呼呼睡大觉。

笑 话

早点认识

妈妈：宝宝，妈妈小时候住在乡村，家门前
　　　有个大池塘，我每天在那儿游泳、捉
　　　鱼、捉青蛙，太好玩了。

宝宝：妈妈，要是我早点认识你就好了。

种树

小弟弟，去种树，
刨刨地，松松土，
今年小树像娃娃，
明年小树像爸爸。

让水流走

爸爸：哎呀，糟糕了，我们租的这条小船，
　　　船头竟然有个破洞，水流进来了。

宝宝：爸爸，怕什么？我们在船尾打一个洞，
　　　水不就流走了吗？